La vida en números

Tus favoritos

Kristy Stark, M.A.Ed.

Créditos de publicación

Rachelle Cracchiolo, M.S.Ed., *Editora comercial*
Conni Medina, M.A.Ed., *Gerente editorial*
Nika Fabienke, Ed.D., *Realizadora de la serie*
June Kikuchi, *Directora de contenido*
Caroline Gasca, M.S.Ed., *Editora superior*
Sam Morales, M.A., *Editor asociado*
John Leach, *Editor asistente*
Kevin Pham, *Diseñador gráfico*
Jill Malcolm, *Diseñadora gráfica básica*

Créditos de imágenes: Todas las imágenes de iStock y/o Shutterstock.

Library of Congress Cataloging-in-Publication Data

Names: Stark, Kristy, author.
Title: Tus favoritos / Kristy Stark.
Other titles: Our favorites. Spanish
Description: Huntington Beach : Teacher Created Materials, [2019] | Series: La vida en n?umeros |
Identifiers: LCCN 2018009324 (print) | LCCN 2018013541 (ebook) | ISBN 9781425826208 (ebook) | ISBN 9781425826857 (paperback)
Subjects: LCSH: Numbers, Natural--Juvenile literature. | Comparison (Philosophy)--Juvenile literature.
Classification: LCC QA141.3 (ebook) | LCC QA141.3 .S74718 2018 (print) | DDC 513--dc23
LC record available at https://lccn.loc.gov/2018009324

Teacher Created Materials
5301 Oceanus Drive
Huntington Beach, CA 92649-1030
www.tcmpub.com

ISBN 978-1-4258-2685-7

Puedes elegir un favorito.

¿Cuál mascota?

Él elige un perro.

¿Cuál color?

Cuatro niñas eligen el azul.

Seis niños eligen el verde.

¿Cuál postre?

Ellos eligen el pastel.

¿Cuál es tu favorito?